托马斯兴冲冲地去接乐队参加派对，却把大号手落在了车站。他四处寻找，却怎么也找不到大号手。遇到这种问题，托马斯该怎么办？

问题就是纸老虎

有人说，生活就是问题叠着问题。但面对同样的问题，不同的人有不同的解决方法，不同的解决方法对应不同的解决效果。那么，在人际交往越来越密集的今天，纷至沓来的问题到底是纸老虎还是真猛兽，就要看我们是否拥有有效解决问题的能力。怎样才能获得解决问题的能力？我们不妨借鉴一些“成功者”的经验。

有一项针对世界500强企业员工工作成就影响因素的大规模调查，其结论令人惊讶：不论什么行业，情商和智商对于一个人的工作成就都有影响。而影响的智商与情商比为1：2，越到公司高层，差距越悬殊，智商和情商之比达到1：6。因此，智商不是影响人解决问题的首要因素。

美国斯坦福大学一项研究表明：一个人获得财富的多少，83.7%与其人际关系和性格相关，只有16.3%与其学历、知识相关。可见，凡有成就者，其合作意识、沟通能力、关爱协调、谦逊忍让、忠诚敬业等与人际交往相关的因素，才是影响其解决问题能力的重要因素，直接与孩子幸福生活的体验相关。

主动解决问题的意识和能力越早培养效果越好，0~6岁最为关键。学前期，如果能够培养孩子正确看待问题的意识，思考解决问题的方法，拥有不怕困难积极尝试的勇气，那么问题就会在孩子面前变成纸老虎，生活的乐趣会徐徐在孩子面前展开，幸福生活的能力会让孩子获益终身。

赵刚

中国教育学会家庭教育专业委员会秘书长、东北师范大学家庭教育学教授

托马斯和朋友
一定有办法

天哪！乘客弄丢了

童趣出版有限公司编　人民邮电出版社出版
北　京

今天是哈特太太的生日。一早，胖总管来到提茅斯机房，他说：“哈特太太邀请了一支铜管乐队来参加她的生日派对。托马斯，你要去纳普福特站接他们。”高登和詹姆士听了非常羡慕。

“铜管乐队！”托马斯很兴奋，“没问题，先生！”他在铁轨上快乐地一路奔跑着，很快就到达了纳普福特站。等乐队成员登上客车厢安妮和克拉贝尔，托马斯就立刻开走了。

但是托马斯不知道，还有一个大号手没上车呢！他在站台上大叫着："喂，等等我，我还没上车呢！"可是，他的声音太小了，托马斯一点儿都没有听到。

托马斯把铜管乐队送到了梅斯威站，乐队成员在站台上集合。突然，乐队领队大叫起来：“天哪！我们的大号手呢？”大号手不见了！没有大号手，乐队就不能演奏了。

乐队成员都非常着急，他们四处张望着、寻找着。可是，没有人知道大号手在哪里。“煤炭和灰烬！”托马斯羞愧极了，一定是自己把大号手落在了纳普福特站。

托马斯不好意思地对领队说：“对不起，我马上就去把他接回来。”托马斯立刻动身，他加快速度行驶着，车轮能转多快就转多快，他呼哧呼哧地赶往纳普福特站。

这时，大号手已经离开了纳普福特站，正站在公路边等候巴士柏蒂。柏蒂停在大号手身旁，大号手说：“你可以带我去生日派对吗？”柏蒂兴奋地说：“当然！非常荣幸！”

托马斯赶到纳普福特站，他在车站里到处寻找，可是哪里都看不到大号手。托马斯难过极了：“大号手失踪了，这全都是我的错。”

托马斯开出纳普福特站，沿着铁轨寻找大号手，他找了一个又一个车站，还是看不到大号手。托马斯自言自语地说：“他会在哪里呢？我要找到他，一定要找到他。”

这时，大号手已经从巴士柏蒂上下来了，柏蒂对他说：“你要在这里搭乘另一辆车去生日派对。”大号手感激地说：“好的，谢谢你！”柏蒂对他说了声“再见”，就开走了。

大号手没有等很久，小卡车伊丽莎白就开过来了，她轻轻地停在大号手身边。大号手问：“你可以带我去生日派对吗？”伊丽莎白说：“当然，我可以带你到风车房。”大号手说：“谢谢你！”

大号手站在伊丽莎白的车厢上，开始练习吹号。这时，托马斯从伊莉莎白面前的铁轨上跑了过去，他开得太快，根本没看见大号手，也没听见大号手演奏的声音。

伊丽莎白带着大号手来到风车房，她说：“崔佛会带你去生日派对的。”大号手说：“谢谢你！”大号手刚想坐在风车房前的台阶上休息，崔佛就开过来了，大号手高兴地爬了上去。

这时候，托马斯还在四处寻找大号手。他向亨利和高登打听，可是他们忙着给水箱加水，没有留意到大号手，他们为没有帮到托马斯而感到很不好意思。

托马斯继续在铁轨上四处奔跑着，他嘟囔着：“多多岛那么大，大号手又那么小，他到底会在哪里呢？”托马斯冲着经过的客车厢嘟嘟叫着，可是大号手不在里面。

崔佛沿着公路慢慢地开着，大号手正好可以稳稳当当地练习吹号。托马斯飞快地跑来跑去，却没有看到崔佛正从对面开过来，也没有听到大号手吹号的声音。

托马斯急匆匆地开进调车场。迎面，培西正推着一车彩旗开过来。托马斯急忙刹车，但还是太晚了，他一下子撞了上去，旗子满天飞。

“真是太糟糕了！”培西生气地抱怨道，“托马斯，你弄翻了我的货车厢，还把调车场弄得一团糟。”托马斯感到很抱歉，他连忙让司机打电话向哈维求助。

动脑时间

小朋友，故事讲到这里，请你停下来，想一想：

托马斯遇到了什么问题?

托马斯去接铜管乐队，却把大号手落在了火车站。

这个问题产生的原因是什么?

托马斯因为接到铜管乐队太过兴奋，没等他们全上车，就开走了。

遇到这样的问题，该怎么解决呢? 看看下面这两种办法好不好?

办法一：托马斯一直寻找下去，找遍了整个多多岛也没有找到大号手，害得乐队没法演奏。

办法二：托马斯只好打电话让哈特太太取消生日派对上的乐队演奏，哈特太太伤心极了。

小朋友有什么好办法?

看看托马斯是怎么做的！

哈维咔嚓咔嚓地赶过来，将铁轨清理得干干净净。他不明白托马斯干吗那么着急。托马斯说：“铜管乐队的大号手不见了，我找了很多地方都没有找到。”托马斯难过极了！

“原来是这样！”哈维想了想说，“大号手没准儿会练习吹号，你只要循着大号的声音去寻找大号手，就一定会找到他的！”托马斯觉得哈维说得很有道理，他决定立刻试一试。

于是，托马斯在铁轨上慢慢开、细细听。果然听见一阵大号声从不远处的一条小路上传了过来。托马斯循着声音望过去——原来是崔佛，崔佛正载着大号手慢慢往前开呢！

托马斯接上大号手连忙前往梅斯威站，他希望时间还来得及。他开得飞快，炉膛嗞嗞叫。很快，托马斯就到达了生日派对现场，他及时地把大号手送来了。

乐队领队高兴地对托马斯说：“干得不错，托马斯！”大号手立刻走到演奏的队伍中。他们摆出整齐的队形，开始演奏起来，美妙的音乐让客人们陶醉了。

哈特太太笑得合不拢嘴，她说：“这是有史以来最棒的生日派对！”托马斯也很高兴，因为他顺利地完成了任务，是一辆有用的小火车。

小火车放映厅

托马斯是怎么解决问题的？他有什么好办法？请你说一说。

胖总管交给托马斯什么任务？

托马斯为什么是这个表情？

哈维给了托马斯什么建议？

铜管乐队等到了大号手吗？

多多岛动力站 1
托马斯去河边拉一批水果。可是，当托马斯到达时，却发现水果不见了。看看托马斯应该找谁帮忙？
BULSTRODE
POLICE
1
家长小贴士：当然是选择警察。此时家长可以借机向孩子传授安全知识，比如不要独自去河边玩儿、遇到困难找警察等。

多多岛动力站 ②

托马斯拉了一车桌椅兴冲冲地走在路上，可是托马斯太高兴了，居然忘记了要把这些桌椅送到哪里去。快帮托马斯想想吧！

动物园

码头

火车站

学校

家长小贴士：家长可以向孩子讲解四个地方的特征，请孩子自己分析。如：动物园是动物的家，码头是运送货物的地方，火车站是人们乘车的地方，学校是小朋友学习的地方。

大脑发动机 1

贝贝在小区里玩儿，忽然一个陌生的叔叔走到他身边向他打招呼，贝贝很害怕，他应该用什么办法解决这个问题？请你将小图按逻辑顺序排序。

听听陌生人说什么。 1

不要泄露自己的个人信息。 2

赶快向爸爸妈妈求助。

大脑发动机 2

贝贝和爸爸妈妈坐在公交车上，贝贝忽然感觉自己有点儿晕车，这可怎么办啊？下面几种解决问题的办法，你会用哪种呢？请在相应的图形里打钩。

分散自己的注意力。

准备好塑料袋。

换到靠窗的位子，呼吸新鲜空气。

思维隧道乐园 1

小朋友，如果你是一个宇航员，要搭乘宇宙飞船到月球上去探险，你希望宇宙飞船是什么样子的？请你画一画吧！

家长小贴士：家长要给孩子充分的想象空间，即使孩子的画有不符合常识的地方，也不要否定他，要让孩子充分地展开想象的翅膀。

思维隧道乐园 ②

下面这个图形，添上几笔能变成什么？开动脑筋，动手画一画吧！

动动码头 1

牛牛想吃冰棍，可是家里的冰棍都吃完了，什么东西能冻成冰棍呢？你能帮助牛牛选出最好的办法吗？

把米饭放到冰箱里。

把橙汁放到冰箱里。

把葡萄放到冰箱里。

家长小贴士：家长也可以借机让孩子了解水的三态变化，让孩子知道水能变成冰，也能变成水蒸气。

动力码头 2

牛牛和妈妈去公园玩儿，公园人太多，把牛牛和妈妈挤散了，他大声叫妈妈，可是妈妈没听见。下面哪些东西能帮牛牛？请把它们圈出来。

风筝

高大的石头

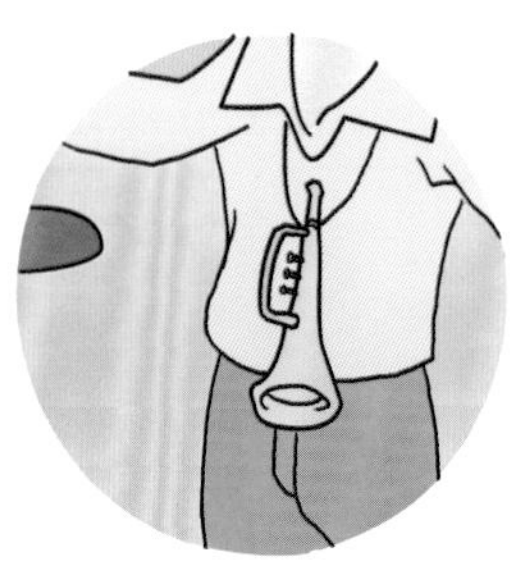

玩具喇叭

家长小贴士：牛牛可以用力吹玩具喇叭，让喇叭的声音吸引妈妈的注意；也可以站在高大的石头上，大声地叫妈妈。

小朋友，遇到问题别着急，动动脑筋想办法。这首儿歌你要牢记，再遇到问题时它会帮到你。

遇到麻烦别心烦，多听伙伴的意见。

办法一个一个选，觉得有理试试看。

别人也有好意见，帮你解决大麻烦。

朋友的话记心间，办法一定会出现。

冷静面对不慌张，麻烦消失看不见。

让孩子学会控制情绪

生活中总有一些事情让人感到失望、沮丧，孩子也不例外。当孩子遇到麻烦，或者遇到问题却无法解决时，往往表现出坏情绪，如大哭大闹、大喊大叫、跺脚、打人……这时候父母应该怎么办呢？是应该强硬地制止，还是马上满足孩子的任何要求？不，家长要借机分析情绪和解决问题之间的关系，逐步让孩子学会控制情绪，这样孩子下次遇到解决不了的问题而遭遇失败或者挫折时才能独立、冷静地思考问题，而不是退缩、发脾气。

首先，给孩子发泄的时间和空间。当孩子因遇到无法解决的问题、遭遇挫折而心情烦闷的时候，家长可以让孩子在一个独立的空间里尽情地发泄，让孩子把心中的压抑和不快全部宣泄出来。这样既能在生理上减轻心脏、肺部的压力，也能从心理上平复孩子的情绪。如果这时家长强硬地制止，会让孩子觉得自己没有得到理解和尊重，孩子就只会变本加厉地哭闹。如果家长马上满足孩子的任何要求，等于是变相地鼓励孩子耍赖，这样孩子再遇到类似情形，就会习惯性地依靠家长帮助解决问题。

其次，鼓励孩子表达情绪。家长要和孩子平等地交流，最好蹲下身和孩子平视，引导孩子说出自己的感觉，以及发脾气的原因，并帮助孩子分析问题，引导并鼓励孩子尝试用新方法解决问题。如果孩子不能准确地表达，家长可以代替孩子来说：“是……让你不高兴，是不是？你现在感觉……是不是？所以你想……是不是？”其实，在孩子表达情绪时，他已经在头脑中对问题进行了梳理，做出了初步的判断，这个时候家长再引导孩子，就会很快将问题解决。

图书在版编目（CIP）数据

天哪！乘客弄丢了/艾阁萌（英国）有限公司著；童趣出版有限公司编. -- 北京：人民邮电出版社，2012.6
（托马斯和朋友一定有办法）
ISBN 978-7-115-28225-5

Ⅰ. ①天… Ⅱ. ①艾… ②童… Ⅲ. ①儿童文学－图画故事－英国－现代 Ⅳ. ①I561.85

中国版本图书馆CIP数据核字(2012)第088909号

THOMAS & FRIENDS

托马斯和朋友一定有办法
天哪！乘客弄丢了

策划编辑：李　佳
责任编辑：吕瑶瑶
封面设计：姜　婷
美术编辑：彭　琳　优优图文设计工作室　贾玉凤
排版制作：松鼠少儿

编　　：童趣出版有限公司
出　版：人民邮电出版社
地　址：北京市丰台区成寿寺路11号邮电出版大厦（100164）
网　址：www.childrenfun.com.cn

读者热线：010-81054177
经销电话：010-81054120

印　刷：北京尚唐印刷包装有限公司
开　本：889×1194 1/20
印　张：2
字　数：50千字
版　次：2012年6月第1版　2015年11月第18次印刷
书　号：ISBN 978-7-115-28225-5
定　价：9.80元